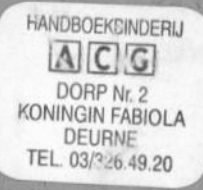

b-stil

Beste knaagdiervrienden,
welkom in de wereld van

Geronimo Stilton

De Wakkere Muis
Redactie

Geronimo Stilton

HET KASTEEL VAN MARKIES KATTEBAS

GERONIMO STILTON

WIJSMUIS, DIRECTEUR
VAN 'DE WAKKERE MUIS'

THEA STILTON

SPORTIEF EN DAADKRACHTIG, SPECIAAL
VERSLAGGEEFSTER VAN 'DE WAKKERE MUIS'

KLEM STILTON

ONUITSTAANBARE GRAPJAS,
NEEF VAN GERONIMO

BENJAMIN STILTON

LIEF EN ZACHTAARDIG,
NEEFJE VAN GERONIMO

Tekst: Geronimo Stilton
Oorspronkelijke titel: Il castello di Zampaciccia Zanzamiao
Ontwerp: Merenguita Gingermouse
Illustraties: Larry Keys en Ratterto Rattonchi
Vertaling: Loes Randazzo
Redactie: Vio Letter

ISBN 90 8592 020 5 ISBN-13: 978 90 8592 020 5

www.geronimostilton.nl
Druk: Drukkerij Giethoorn Ten Brink, Meppel (NL)

EEN MISTIGE AVOND IN OKTOBER

Het was een mistige avond in oktober.

Ik haat reizen! Zat ik maar lekker thuis in mijn luie stoel!

Helaas, ahum, ik bevond mij in een aardedonker *bos*... Wil je weten waarom? Luister!

Ik zal mij eerst even voorstellen: ik ben een man, *eh muis,* mijn naam is stilton, *Geronimo Stilton!*

Ik ben uitgever van de meest gelezen krant van wakker Muizeneiland, *De Wakkere Muis.*

Afijn, ik was op weg naar mijn tante Lilly, voor een weekje vakantie in de Vallei van de Stinkende Berg. Tijdens mijn tocht moest ik dwars door het DUISTERWOUD, een dicht en ondoordringbaar woud in de **Vallei der IJdele Vampiers.**

Ik was het *Meerdermeer* al lang voorbij, toen ik opeens een enorm dichte **mistbank** in reed. Je zag geen poot voor ogen!

Ik keek op de kaart om uit te zoeken waar ik was. Maar bij het zien van de Kattenspits wist ik dat ik gi-ga-gantisch verkeerd zat.

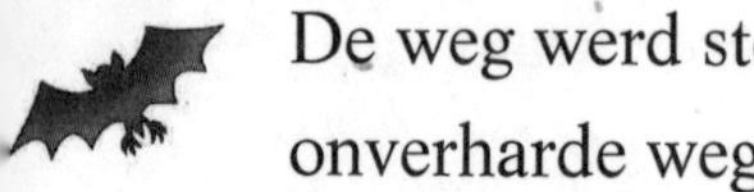

De weg werd steeds smaller en ging over in een onverharde weg.

Ik probeerde mijn zus Thea te bellen, maar op het scherm van mijn mobieltje stond: buiten bereik van netwerk!

Ik haat reizen! Zat ik maar lekker thuis in mijn luie stoel!

Na nog een halfuur in de dikke mist te hebben gereden, stond ik voor een splitsing.
Opeens, zo plotseling dat het wel tovenarij leek, dook er uit de dikke mist een wegwijzer op met de tekst:

Verbaasd keek ik nog eens op de kaart.
Gi-ga-geitenkaas, wat vreemd, daar stond helemaal geen **kasteel** aangegeven. Ik vouwde de kaart op en stak hem in de binnenzak van mijn jas. Ik besloot links af te slaan en naar het kasteel te rijden om te vragen of iemand daar de weg wist. Plotseling doorkliefde een felle lichtflits de donkere lucht. De bliksem sloeg vlakbij mij in, heel vlakbij mij! **De flits verlichtte de omtrek van een bouwvallig kasteel**, met vlijmscherpe torenspitsen.

De flits verlichtte de omtrek van een bouwvallig kasteel...

Op dat moment, natuurlijk *juist* op dat moment, sloeg de motor af! Ik had beter moeten weten dan dit oude barrel van mijn neef Klem te lenen! Ik stapte uit. **Wat nu?**

Tot overmaat van ramp begon het te regenen, zeg maar gerust te plenzen. Het water droop langs mijn snorharen, ik was helemaal doorweekt en ik stond te rillen van de kou.

Wat nu? Ik veegde mijn snorharen af, zette de kraag van mijn jas omhoog en liep over een grindpad in de richting van het kasteel.

De ijzige wind blies de droge herfstbladeren de lucht in...

Het pad lag bezaaid met dorre takken, die kraakten onder mijn poten. Wanneer was dit pad voor het laatst schoongeveegd?

Misschien was het **kasteel** wel onbewoond...

EEN BLOEDRODE KAT MET VLIJMSCHERPE KLAUWEN

Het kasteel lag verscholen achter een woud van hoge bomen met grillige takken.
Ik bekeek het gebouw: de muren waren opgetrokken uit grove VIERKANTE keien, aangevreten door de tijd en het weer. In de muren zaten hier en daar schietgaten, waar gietijzeren roosters voor geplaatst waren. **De ramen van het kasteel hadden een bloedrode kleur!**
Plotseling zag ik in de hoogste torenspits een lichtje aan gaan. In de AARDEDONKERE nacht leek dat lichtje op een vuurspuwend oog van een monster.

Ik haat reizen! Zat ik maar lekker thuis in mijn luie stoel!

De ramen van het kasteel hadden een bloedrode kleur!

Op het dak van het kasteel stond een vlaggenstok met een vaandel met daarop een vuurrode klauwende kat! Mijn haren gingen rechtovereind staan van angst!

Voor de deur stonden twee enorme klauwende katers met opengesperde muilen. Voor een van de beelden stond een bordje met de tekst:

Je moet na het bellen
Je vingers natellen
Kom je toch naar binnen
Moet je je angst overwinnen

Ik keek nog eens goed, en ja hoor: middenin de muil van de kater zat een bel! Trillend stak ik mijn poot tussen de scherpe tanden en drukte op de bel.

MIAAAUW!!!

Een klaaglijk gemiauw klonk door de nacht.
Verschrikt sloeg ik op de vlucht… en verstopte me achter een struik.
Waar was die miauwende kat?
Dat moest wel een gi-ga-gantisch monster zijn.
Na een paar minuten drong het *eindelijk* tot mij door: het was de bel!
Langzaam liep ik naar de voordeur.
Toen ik dichterbij kwam, ging die vanzelf open.
Was dit tovenarij?
Tja, ik had geen zin, helemaal geen zin, om naar binnen te gaan.

Op dat moment sloeg **OPNIEUW** de bliksem vlakbij mij in.
Ik durfde niet naar binnen, maar buiten wilde ik ook niet blijven!
Ik raapte al mijn moed bij elkaar en stapte over de drempel.
Piep, wat ben ik toch een bangerik, wat een angstmuis…

Ik haat reizen! Zat ik maar lekker thuis in mijn luie stoel!

IK WIL HEM NOG NIET PIEPEN!

Ik was zo bang dat ik klappertandde. Ik stond in een donkere en **angstaanjagende** hal.
De bliksem sloeg nu pal naast het kasteel in en verlichtte de bloedrode ramen. Ik had het gevoel dat ik werd bekeken door talloze kattenogen.

Van schrik maakte ik achterwaartse salto. ‘Piep! Wat eng!’

Ik liep de lange donkere gang in, recht vooruit. Aan het eind van de gang was een dubbele deur, die deed ik open en ik piepte: ‘Hallo, is daar iemand? Mag ik binnenkomen?’

Voor me zag ik een enorme zaal, met houten lambrisering. Net als de rest van het kasteel kon ook deze zaal wel een likje verf gebruiken. Het stucwerk was van de muren en het plafond gebrokkeld, de antieke meubels waren bedekt met dikke lagen stof en spinnenwebben…

Ondanks de door de tijd aangerichte schade waren de zeventiende eeuwse fresco’s op het plafond nog goed zichtbaar; taferelen van **katten** in vol gevechtsornaat.

Brrr, ik was blij dat ik toen nog niet geboren was! Er leefden toen veel te veel katten naar mijn smaak!

Mijn oog viel op een wandtapijt met daarop een geborduurde tekst: DIT KASTEEL BEHOORT TOE AAN HET EDELE GESLACHT VAN MARKIES KATTEBAS.

Kattebas? Wat was daar ook alweer mee… o, ja! In 1815, tijdens het gi-ga-gantische **Gevecht tussen Kat en Muis,** vond de veldslag bij Katterloo plaats. Zoals iedereen wel weet, hebben de muizen gewonnen. Sindsdien zijn er dan ook geen katten meer op Muizeneiland…

Roderik Kattebas was een van de bekendste gevechtskatten in die tijd.

Ik liep naar de open haard en zag dat er een tekst in stond gegraveerd:

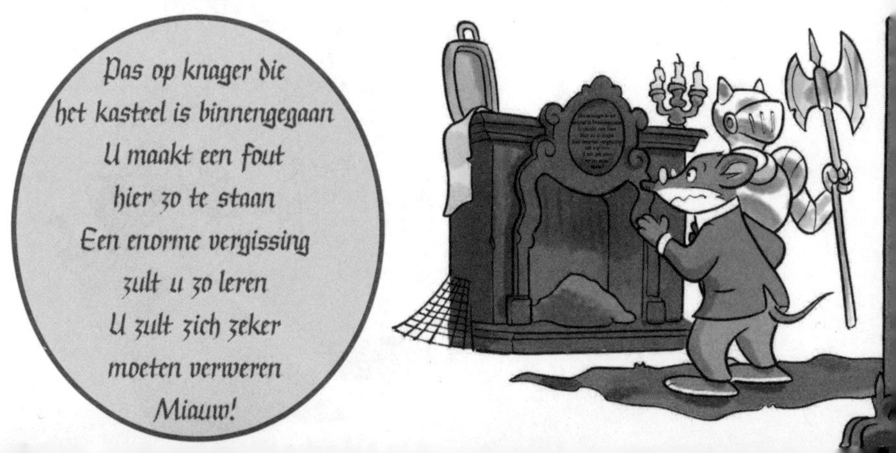

Trillend van angst deed ik een stapje achteruit.
Zo kon het gebeuren dat ik tegen de boekenkast aanviel die pal achter me stond.
Een enorm dik boek viel uit de kast, op mijn rechterpoot…

Piiiieeeeep!!!

'Au!!!' Ik hupte rond op één poot van de pijn!

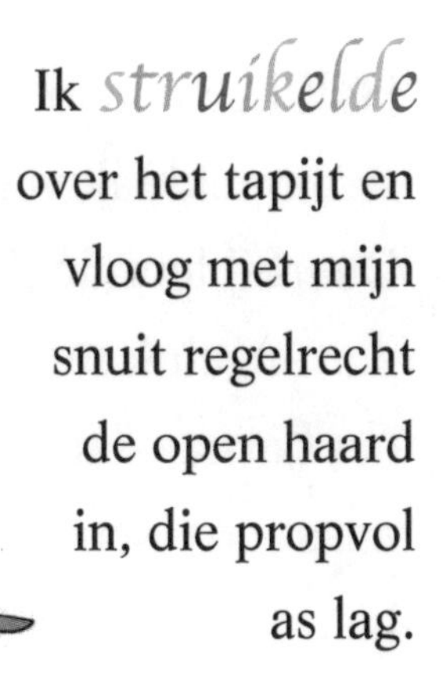

Ik *struikelde* over het tapijt en vloog met mijn snuit regelrecht de open haard in, die propvol as lag.

In een poging er weer uit te komen, greep ik me vast aan de schoorsteenmantel. Maar mijn houvast bleek een kleedje te zijn, dat ik er natuurlijk af trok waardoor een zware zilveren schaal op mijn hoofd viel.

Half bewusteloos strompelde ik verder… Daarbij leunde ik per ongeluk tegen het harnas dat naast de open haard stond!

Het harnas viel kletterend op de grond.

Een lange, vlijmscherpe hellebaard scheerde vlak langs mijn snuit en schoor bijna mijn snorharen af.

Dat was op het nippertje, ik wil hem nog niet piepen, nog niet! Duizelig stond ik op, maar ik was nog maar amper overeind of mijn blik viel op de spiegel die tegenover de open haard hing. In het halfduister zag ik een **griezelig spook met een grijze snoet...**

Ik slaakte een kreet van schrik.

Toen ik nog eens beter keek, stamelde ik: 'Maar dat... ahum, dat... ben ik!'

Wat was ik toch een domme muis!

Ik haat reizen!

Zat ik maar lekker thuis in mijn luie stoel!

MUIZENBOTJES EN RATTENSKELETTEN

Ik liep de zaal uit en trippelde door de gang, totdat ik bij een deur kwam met een bordje:

Ik ging naar binnen.

De kasteelkeuken was gi-ga-groot.

De vloer was gemaakt van grote keien. Langs de muren stonden houten werkbanken met keukengerei: potten en pannen, vorken en messen.
Ik deed een deur open, liep een paar treden af en bevond me in een kleine kelder: de voorraadkamer.
Er lag maar weinig voedsel: een paar glazen potten met ingemaakte groenten, een paar armzalige worstjes, die aan het plafond hingen… maar ik fleurde op bij de geur van kaas, oude kaas!
Het kasteel werd dus nog bewoond! Maar door wie? Mysterieus…

Achter in de keuken was een grote open haard, zo groot dat je er zo in kon lopen.
In de haard hing een koperen ketel, helemaal bedekt met roet. Toch zag ik dat op de ketel een kat met vlijmscherpe klauwen was gegraveerd.
Ik gluurde in de stoffige ketel en zag iets vreemds liggen, het was wit… ik stak mijn snuit in de ketel om het goed te kunnen bekijken, en slaakte een kreet: **'Piep!'**
Het was een botje een… **muizenbotje!**
Verschrikt keek ik om me heen.

Waar was ik terechtgekomen?

Ik besloot mijn muizenhachje te redden en opende de dichtstbijzijnde deur, maar gi-ga-geitenkaas het was geen uitgang: het was een kast. En in de kast hing een…
rattenskelet!

Ik haat reizen! Zat ik maar lekker thuis in mijn luie stoel!

En in de kast hing een... rattenskelet!

IN DE PIEPZAK ZITTEN!

Trillend van angst gaf ik de kastdeur een zwiep en maakte dat ik de keuken uit kwam.
Jullie hebben het natuurlijk al begrepen, ik ben een echte angstmuis, een bange **pieperd**.
Met een bonkend hart, verschanste ik me in de kasteelbibliotheek.
Ik hoorde een vreemd gekraak, *krak...*

Krak...

Het geluid kwam uit een van de kasten.
Toen ik ging kijken, stond ik oog in oog met een **spookkat!**

Het spook bewoog moeizaam en de dikke schakelketting die achter hem aan over de vloer sleepte, maakte een akelig geluid...

Hij miauwde:

Miauw!

Ik ben het spook van Kattebas

Je zit nu echt in zak en as

Je hebt geen kans om te ontsnappen

Ik eet je op in één-twee happen!

Maar nu... heb ik jou, jij vuile knager!

En jij hebt mij... de muizenslager!

krak!

Ik hoorde opnieuw gekraak: *krak!*

En de kat was als bij toverslag verdwenen.

Ik haat reizen!

Zat ik maar lekker

thuis in mijn luie stoel!

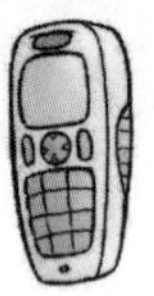

GERONIMO! HYSTERISCHE MUIS!

Ik rende als een hysterische muis door het kasteel, kwam bij de voordeur en rende naar buiten. Ik piepte uit volle borst: '**Help!**' maar er was niemand in de buurt die mij kon helpen, niemand die mijn noodkreet hoorde. De plenzende regen doorweekte mijn snorharen, ik was alleen, moedermuizenziel alleen in het donkere bos...

Ik haat reizen! Zat ik maar lekker thuis in mijn luie stoel!

Op dat moment ging mijn mobieltje.

Met trillende pootjes drukte ik op de knop en piepte: '*Pieeeeep!* Hallo?!'

Mijn zus vroeg: 'Geronimo? Waar ben je? Wat doe je?'

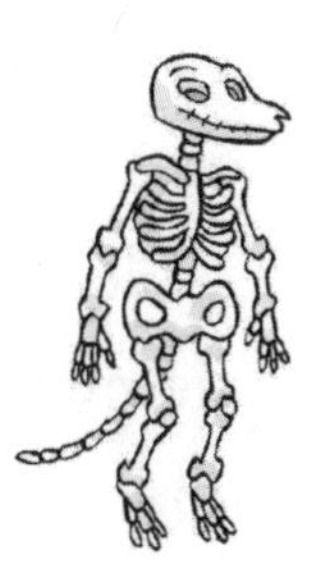

Ik stamelde: 'Het **bot,** het **kasteel,** ahum, ik bedoel de **keuken,** het **skelet,** het **harnas,** het kwam door de **mist,** of de **wegwijzer,** ik

zag rood licht achter het raam, er is **niemand, pech** met de auto van Klem, **piep,** ik ben bang, help, kom me redden!!!'

Mijn zus (die zelfs in momenten van hoge nood haar muizenkoppie koel houdt) sprak nuchter: 'Geronimo! Wat doe je weer hysterisch! Zeg me eerst eens waar je bent!'

Ik mompelde: 'Ahum, ik weet het niet precies, midden in het bos, voorbij het *Meerdermeer*, ik ben verkeerd gereden... ik ben het kasteel **Muisterslot** binnengegaan, maar er is hier niemand...'

Ze spotte: 'Wat een paniek om niets! Je bent in een kasteel, het is bedtijd, dus zoek een bed en ga lekker slapen. Morgen als je wakker wordt, is de mist opgetrokken en kom je terug...
Makkelijk, toch?'
Ik stotterde: 'De auto doet het niet! En ik wil hier helemaal niet slapen! Het is een onbewoond **kasteel!** Ik ben bang! Het is hier zo donker!'
Ze mopperde: 'Donker, donker... als je toch gaat slapen, waar heb je dan licht voor nodig? Kom op, doe niet zo laf, dat doe je nu altijd! Is er iets te eten?'
'Er is kaas!'
'Er is kaas? Nu dan, ga iets eten, dan voel je je vast een stuk beter. Wat voor een kaas is het, jong of oud?'
'Eh, oude, geloof ik,' mompelde ik.
'Zie je wel? Ook nog **oude kaas!** Wat wil

je nog meer? EEN MOOI KASTEEL, oude kaas…'

Ik brulde: 'Maar er ligt een **muizenbotje** in de keuken! En een **rattenskelet!**'

Ze piepte: 'Botjes… skeletten… hou nu toch eens op met die onzin… het is vast een kippenbotje… tut, tut, tut, ik ken jou, angstmuis! Ga nu maar slapen, dan blijf ik nog even lekker in bad zitten!'

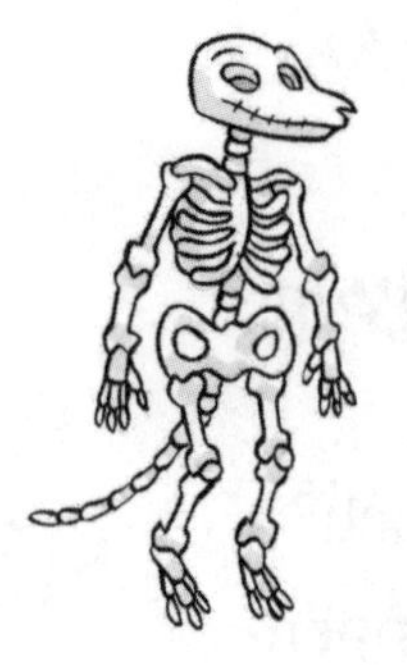

Ik kon Thea in het bad horen spetteren.
Ik krijste: 'Maar ik ben bang!'
Toen hoorde ik een vreemd geluid uit het kasteel komen en ik fluisterde:
'Ik ben bang! Ik durf niet meer naar binnen. Enne, je zult het misschien niet geloven, maar ik heb een spook gezien!'
Ze piepte: 'Ik hoor je niet! Praat eens iets harder!'
Ik mompelde: 'Ik zei dat ik een spook heb gezien!'
Opeens was ze een en al oor: 'Spook? Zei je spook?'
Angstig siste ik: 'Ja, ik zei spook...'
Ze ging verder: 'Een echt spook? Of zo'n nepspook uit het spookhuis?'
Ik siste: 'Een echt spook, een heel echt spook, echter dan echt, je kunt je niet voorstellen hoe bang ik ben.'
Ze vroeg nog eens: 'Ahum, weet je het zeker? Heel erg zeker?'

Wanhopig herhaalde ik: 'Natuurlijk weet ik het zeker! Ik heb hem met mijn eigen ogen gezien! Op mijn woord van muizeneer!'
Ze mompelde: 'Ja, ja, had je je bril wel op?'
'Natuurlijk had ik mijn bril op!' murmelde ik.
Ze gilde nu zo hard, dat ik het toestel op een afstandje moest houden: 'Had dat dan meteen gezegd, **miezemuis**. Als er een primeur te halen valt, pak ik mijn camera en kom **rattenrap** daar naartoe! Dan heb ik alvast een paar mooie foto's voor de speciale bijlage voor volgende week. Zul jij eens zien hoeveel kranten we dan extra verkopen!'

En ze verbrak de verbinding.
Verbluft bleef ik met mijn mobieltje in mijn hand geklemd staan.

Opeens schoot mij iets te binnen.

Gi-ga-geitenkaas...

Vandaag is het 31 oktober. Vandaag is het…

HALLOWEEN.

Ik haat reizen! Zat ik maar lekker thuis in mijn luie stoel!

KATTENOGEN

Ik probeerde Thea terug te bellen, maar de batterij was leeg. Wat moest ik doen?

WAT MOEST IK DOEN?

Er zat niets anders op dan Thea's advies op te volgen: ik zou gaan slapen.

Ik raapte al mijn moed bij elkaar en ging het kasteel weer in.

In de hal had ik een kaars gevonden, ik stak hem aan en in het licht van het **flakkerende** vlammetje liep ik de krakende trap op…

Op mijn weg naar boven kwam ik langs een hele reeks portretten van de familie Kattebas.

Ik las de namen: *markies Marinus Kattebas, markiezin Cornelia Kattebas, markiezinnenmuisje Angelique Kattebas…*

...in het licht van het flakkerende vlammetje liep ik

de krakende trap op…

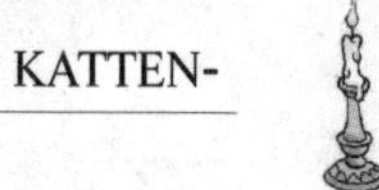

Toen ik langs *Roderik Kattebas* kwam, had ik het gevoel dat er iemand naar me keek.
Er ging een rilling door mij heen en mijn snorharen begonnen te trillen.
Ik draaide me heel snel om: niemand!
Ik vervolgde mijn weg naar boven. En toch…
Nog een keer draaide ik mij rattenrap om: nu wist ik het zeker, er keek iemand naar me.
De ogen op het schilderij van Roderik schitterden alsof ze echt waren! Ja, nu wist ik het zekerder dan zeker, de ogen volgden me de trap op!
Ik ging terug en met mijn poot controleerde ik de ogen van het schilderij: het waren gaten!
Er was echt iemand in het kasteel!
Ik vluchtte de lange gang in en opende de eerste de beste deur die ik tegenkwam.
Ik smeet ze dicht en leunde er met mijn rug tegenaan.

Ik smeet hem dicht en leunde er met mijn rug tegenaan

HET NOBELE GESLACHT KATTEBAS

Wat een angst! Wat een zweet! Wat een angstzweet!

Bij het licht van de kaars
keek ik eens rond in de kamer. Alles, maar dan ook alles, was zwart geschilderd...
De kamer zat vol met spinnenwebben, die er al eeuwen leken te zitten. In het midden van de kamer stond een enorm hemelbed, bekleed met zwarte gordijnen en het zat vol met mottengaten.
Er stond een naam op het hoofdeinde geschilderd: *Roderik Kattebas*.
Aan de ene kant van het bed stond een grote kast, aan de andere kant een porseleinen waskom met de initialen *R.K.*

De open haard was van marmer. Ik ontdekte dat de kamer grensde aan een werkplaats, volgepakt met boeken over magie. Rattenrap deed ik de deur op slot en voor de zekerheid schoof ik de ladekast ervoor, je weet maar nooit! Uitgeput ging ik op het bed liggen. Ik wist zeker dat ik geen oog dicht zou doen. Om mezelf een beetje af te leiden, pakte ik een boek uit de kast en begon te lezen. Het heette: *De enige ware geschiedenis van het oude geslacht van markies Kattebas, oftewel de geheimen van een nobele familie ontrafeld tot in de kleinste, smeuïgste en schandaligste details.*

Terwijl ik door het boek bladerde zag ik allerlei bekende gezichten, het waren de gezichten uit de portrettengalerij.

Piep!

Nieuwsgierig begon ik te lezen…

Markies Sebastiaan Kattebas
Grondlegger van de Kattebas-dynastie.

Markiezin Cornelia Kattebas
Beroemd vanwege haar mantel van muizenbont (waarmee ze staat afgebeeld op het portret) Ze was wat je noemt een karaktervolle poes. Ze commandeerde kinderen, kleinkinderen en achterkleinkinderen alsof het soldaten waren.

Markies Roderik Kattebas
Hij vocht roemrijk tijdens het Gevecht tussen Kat en Muis, waarbij hij een poot verloor. Het verhaal doet de ronde dat hij een muis kon ruiken op een kilometer afstand en dat hij om zijn hals een ketting met rattentanden droeg. Volgens de legende beschikte hij over magische krachten en verschijnt hij nog regelmatig als spook op het familiekasteel…

Markies Marinus Kattebas

Ook wel 'De Vrek' genoemd. Hij stond bekend om zijn gierigheid en sluwheid, hij liet de restauratie van het kasteel door familieleden betalen.

Markiezinnetje Angelique Kattebas

Een betoverend katje, ze trouwde met baron De Orange, met wie ze drie kinderen kreeg: Willem, Wilhelmina en Willem II De Orange Kattebas.

Markies Black Jack Kattebas Black Jack,

Achterneef van Cornelia, hij was een elegante kat. Hij hield helaas van gokken en heeft het hele familiefortuin vergokt.

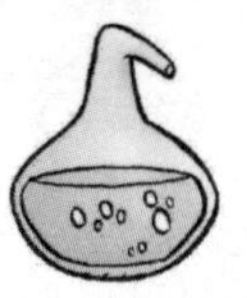

MIJN HART KLOPTE IN MIJN KEEL

Ik lag nog maar net op één oor toen ik iets hoorde, het kwam uit de werkplaats.

Krak…

Mijn hart klopte in mijn keel. Verschrikt piepte ik: 'Wie is daar? Is daar iemand?'

Het antwoord was een klaaglijk kattengejammer.

'MIAUWWWWWWW!' klonk er vanuit de verte.

'Help!' piepte ik benauwd.

Rattenrap klom ik uit bed en deed de deur open, glipte de kamer uit en rende door de pikdonkere gang.

Mijn muizenhart ging als een razende tekeer

toen ik de trap afrende, de hal in.
Opeens sloeg de **BLIKSEM** in, héél dicht bij het kasteel. De bloedrode ramen lichtten op in de duisternis.

Uit het niets dook een angstaanjagend silhouet op, dat afstak in het licht van de flits. Het versperde de weg naar buiten. Het silhouet kneep in mijn staart en riep:

Ik gilde: **‘Piep!!!’**

O, wat was ik bang, ik deed het in mijn broek van angst. En, natuurlijk, viel ik flauw.

GRAPJE, GRAPJE!

Ik kwam weer bij doordat iemand mij een klap op mijn snuit gaf.

Ik mompelde: 'Het… het spook… de *markies Roderik Kattebas…*'

Ik deed mijn ogen open en bevond mij snuit aan snuit met mijn zus Thea.

Ze piepte, met snorharen die trilden van opwinding: 'En, heb je het gezien? Hè? Heb je het gezien? Is hij echt?'

Ik stotterde: 'Ja, natuurlijk, ik heb het met mijn eigen ogen gezien. Wat heet, hij kneep me zelfs in mijn staart. Hij riep: Boe!

Plotseling hoorde ik iemand schateren, ik draaide me om: het was mijn neef Klem. Hij had enorme pret.
'Maar neef toch, had je je bril wel op? Dat was ik die in je staart kneep, dat was helemaal geen
Spook!'
Woedend draaide ik mij om en wilde achter hem aan gaan.
Hij spurtte weg en riep spottend: **'Grapje, grapje!'**

DE ENIGE ANGSTMUIS BEN JIJ, GERONIMO!

Op dat moment trok er iemand aan mijn jasje.
Ik draaide me om: daar stond mijn lievelingsneefje Benjamin.
'Oom Geronimo! Ik ben zo blij je te zien!'
Ik bromde tegen mijn zus: 'Je had hem niet mee moeten nemen, Benjamin is nog veel te klein, het is hier veel te griezelig!'
Mijn neef Klem gaf me een knipoog.
'Maar neef toch, hij is niet bang uitgevallen. De enige echte angstmuis in de familie ben jij, Geronimo!'
Mijn zus raakte nu helemaal opgewonden.
'Waar blijft dat spook van jou, Geronimo?

Ik heb niet de hele dag de tijd, weet je!'
Ik sputterde: 'Ik heb het met eigen ogen gezien, echt waar. Maar opeens was het verdwenen!'
Klem spotte: 'Ja, ja, je hebt het met eigen ogen gezien… met of zonder bril op? En? Had je 'm op? Had je hem op of niet? Zeg op!'

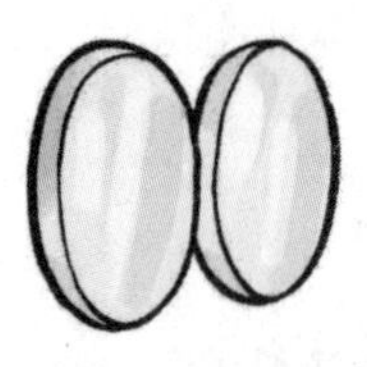

Omdat mijn neef een echte LOLMUIS is, kneep hij nog eens in mijn staart.
Ik wilde hem grijpen, maar hij stak zijn tong uit en sprong opzij.

DE GEHEIMZINNIGE SPIJKER

'Als hier echt een spook rondwaart, zoals je beweert, dan krijgen we het wel te pakken,' zei Thea.
Snel zei ik: 'Ik weet zeker dat het hier spookt! Ik heb het zelf gezien!'
Thea pakte haar fototoestel en piepte: 'Waar is het **rattenskelet** waar je het over had? Dan maak ik daar vast foto's van, zomaar, voor de lol...'
Ik nam hen mee naar de keuken en keek verwachtingsvol in de pan.
'Hier lag het **muizenbotje...** maar nu ligt er niets meer... vreemd!'
Ik liep naar de kastdeur en trok hem open.
Het skelet was weg! Ik snapte er niets van.

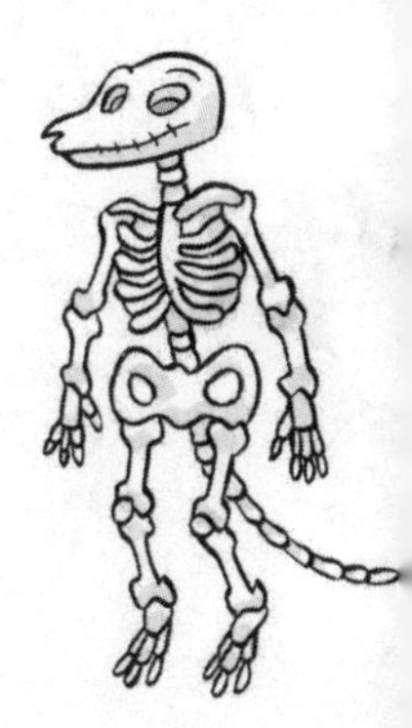

'Maar... nee... en toch... ik weet het zeker... ik heb het zelf gezien... het was hier...'
Thea smaalde: 'Oempf, het is ook altijd hetzelfde met jou, Gerry!'
Klem grinnikte: 'Ik verwed er mijn staart onder dat je ook nog een stuk kaas voorbij zag vliegen! Toch, neef? Of zag je geen vliegend stuk kaas? Wat voor een kaas was het, gatenkaas, roomkaas, Goudse kaas? Ik ben nieuwsgierig...'

Ik wilde net antwoord geven, maar mijn neefje trok aan mijn mouw en maakte een sussend gebaar.
Hij wees op een spijker die boven in de kast zat.
'Zie je dat, oom Geronimo? Een spijker... misschien heeft daar wel iets aan gehangen.'
Benjamin maakte met een serieus snoetje aantekeningen in een schriftje.

JE BENT EEN DOMME DOMKOP

Ik stond niet echt te trappelen om het kasteel te gaan verkennen.

'Gaan jullie maar vast, ik wacht hier wel op jullie!' stelde ik daarom voor.

Thea piepte: 'O, nee, komt niets van in, broertje! Eerst lok je me hierheen, met de belofte van een echt spook, en nu trek je je terug? Nee, nu wil ik mijn spook! Ik wil een primeur! Begrepen?'

Begrepen?'

Vervolgens begon ze orders uit te delen: 'Ik controleer de keuken, Klem de eetzaal, Benjamin de wapenkamer en Geronimo de bibliotheek!'

Ik zuchtte eens diep. Terwijl de anderen zich

snel uit de voeten maakten, liep ik pootje voor pootje richting de bibliotheek. Toen ik de hoek om kwam, kwam er een wild wapperend laken op me... er zweefde een SPOOK voor mijn snuit. Het schreeuwde: 'Boe! Ik ben het spook van het kasteel... krijg ik je te pakken, dan laat ik niets van je heel!'

'Het sp... sp... spook...' stotterde ik. Ik werd **duizelig,** de opwinding werd me te veel. Maar toen hoorde ik iemand giechelen: het was Klem die zich enorm verkneukelde onder het laken.

'Grapje, grapje, het was een grapje... je bent er weer ingetrapt! Je bent een **DOMME DOMKOP,** Geronimo!'

Mijn snorharen trilden van woede, ik spurtte achter hem aan. Klappen zou hij krijgen, geen vier, geen acht, maar wel zestien klappen.

Maar hij schoot de bibliotheek uit en gooide de deur met een knal achter zich dicht.
Ach, laat maar gaan, dacht ik.
Mijn taak was de bibliotheek onderzoeken, dat ging ik dus maar eens doen!
Wat veel boeken! En zulke interessante boeken!
Er waren heel veel boeken over de geschiedenis van de katten.

Romeinse kat

Barbaarse kat

Poeh, wat was ik blij dat ik niet geboren was in de tijd dat de katten nog de baas waren op ons eiland.

Het eerste boek dat ik van de plank pakte heette:

De geheimen van de Muizenjacht.
Van simpele muizenvallen tot oorlogstactiek.
Tips & trucs voor het vangen van bloedlinke knagers...

Middeleeuwse kat

Rococo kat

Ik pakte een ander boek

Huiverend zette ik het boek weer terug.
Ik pakte een ander boek. **Muizenkookboek**

Hoe bereid ik een muis, simpel en snel?

Mijn nekharen stonden recht-overeind, wat een gruwel…

Zoetzure muizensaté

Soep van muizenmerg

Gesauteerde rat met rozemarijn en gebakken aardappelen

Pikante knager met Spaanse pepers

Chocoladetaart van twee verdiepingen, gegarneerd met knapperige muizenstaartjes

HET MYSTERIE VAN HET VERDWENEN SPOOK

Op dat moment hoorde ik een geluid, het kwam van achter de kast met geschiedenisboeken.

'Miaauuuuuuuuuuuuuwwwwwwww!!!'

Ik gaf geen krimp en piepte:
'Klem, hou op met die flauwe grapjes!'
Het miauwen ging door: 'Miauw!'
Ik bromde: 'Nu is het wel genoeg!
Genoeg is genoeg!'
Er klonk gekraak: *'Krak!'*
Ik keek omhoog: 'Klem, je bent niet gra...'
Van schrik sprong ik op de stoel en gilde:
'Piep!'

Voor mij stond het spook!

Het droeg een metalen harnas, had een kattenkop en een geamputeerde poot… het moest dus wel de geest van Roderik Kattebas zijn!

Hij was van top tot teen wit! Ik was ook wit, maar dat was van de schrik! Ik was wit als mozzarella, zó wit!

Ik haat reizen! Zat ik maar lekker thuis in mijn luie stoel!

Opeens verdween het spook weer achter de kast met geschiedenisboeken.

Opnieuw hoorde ik gekraak:

'Krak!'

PAS OP, OF IK RUK JE SNORHAREN UIT!

Ik rende de gang in en riep: 'Help! Red de muis! Er is een sp-spook!'

Er werd een poot op mijn schouder gelegd en ik piepte: 'Piep!'

Het was mijn zus Thea, haar snorharen trilden van opwinding.

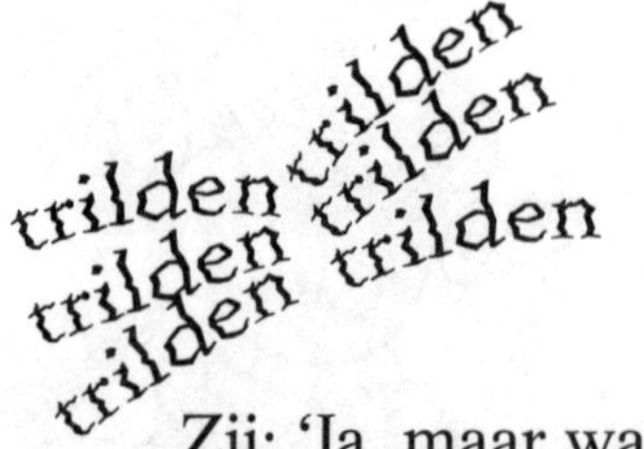

'Waar? Waar? Heb je het gezien? Hè?' piepte ze.

Beduusd stamelde ik: 'Het spook!'

Zij: 'Ja, maar waar?'

Ik: 'Helemaal wit... zelfs zijn snorharen...'

Zij: 'Waar???'

Ik: 'Een geamputeerde poot...'

Zij: 'Maar waar???'

Ik: 'Met een harnas...'

Zij: 'Geronimo! Waar heb je het gezien?

Waar? Waar? Waar?'

Ik kwam weer een beetje bij: 'Waar ik het zag? Eh, in de bibliotheek... achter de geschiedenis-boeken...'

Ze greep haar camera en sprintte weg.

Ik volgde haar, maar toen we in de bibliotheek aankwamen, zagen we... niets!

Thea was woedend.

'Geronimo! Zeg op! Heb je het echt gezien? Was er echt een spook?'

Ik bleef maar herhalen: 'Natuurlijk is er een spook, ik heb het toch gezien!'

Ik hoorde iemand lachen: Klem!
'Ik heb het gezien! Dat is gemakkelijk gezegd. Maar hoe zag je hem, met of zonder bril? En, sorry dat ik het vraag, zelfs mét bril, zie je dan wat? Hoeveel vingers steek ik op? Zeg eens? Hoeveel?'

'Drie,' krijste ik vertwijfeld. 'Ik zie alles, weet je? Met bril zie ik net zo goed als jij!'
'Goed, als jij het zegt...' grijnsde hij. 'Maar ik loop niet te verkondigen dat ik een spook heb gezien... misschien zag je een laken dat te drogen hing... een kleedje... of misschien een servetje?'
Thea was inmiddels ziedend van woede:
'Geronimo! Als je me nog eens zo'n streek levert,

dan zal ik je... dan ruk ik je snorharen uit!'
Ik sputterde tegen: 'Maar het is geen streek!'
Benjamin nam het voor me op: 'Als oom Geronimo zegt dat hij het zag, zag hij het!'
Maar niemand luisterde.
Benjamin bestudeerde op zijn knietjes de vloer van de bibliotheek.
'Wat is er Benjamin? Heb je iets gevonden?'
Hij wees op de krassen in de houten vloer:
krassporen...
waren dat sporen van de ketting van het spook? 
Benjamin maakte, met een geheimzinnige blik op zijn snuitje, nauwkeurig aantekeningen in zijn schriftje.

AH, AL DIE GELEERDE MUIZEN…

HET WAS MIDDEN IN DE NACHT.

Ik wilde naar bed (ik was doodmoe), maar dat mocht niet van mijn zus.

'Ik ben hier om foto's van een spook te maken! En spoken spoken **'s nachts,** weet je? Niet overdag!'

Klem grinnikte: 'Maar wat weet hij nu van spoken. Volgens mij heeft hij teveel kaas gegeten, is toen een dutje gaan doen, heeft een nachtmerrie gehad en denkt nu dat hij echt een spook heeft gezien! Ach, de rest is bekend, al die geleerde muizen hebben (te)veel fantasie, zien overal spoken…'

Heftig stribbelde ik tegen: ‘Ik ben het zat. Ik ga slapen, doe wat je niet laten kunt!’

Ik liep naar de kamer van Roderik en sloot de deur achter me.

Toen ik nog maar net op bed lag, hoorde ik opnieuw een krakend geluid: *krak!* Krak…

Daarna een klaaglijk gemiauw…

Het witte spook van Roderik kroop van achter de boekenkast tevoorschijn!

Hij stak zijn tong naar me uit en verdween even plotseling als hij was gekomen.

Ik gilde op mijn allerhardst: ‘Help!’

Ik haat reizen! Zat ik maar lekker thuis in mijn luie stoel!

Meteen daarna zwaaide de deur open en kwam mijn zus Thea de kamer binnenstormen.

‘Waar is het spook? Waar is het gebleven? Hè?’

Ik wees op de boekenkast, maar…

Gi-ga-geitenkaas, hij was allang verdwenen.

Zo woedend had ik mijn zus nog nooit gezien.

'Nu is het genoeg! Ik hou er niet van in de maling genomen te worden!'

Klem grinnikte.

'Nu weet ik waarom Geronimo boeken schrijft, met zo veel FANTASIE…'

Benjamin wees mij op een wit spoor van stof op de grond, vlak bij de boekenkast. Met mijn poot streek ik over het spoor: het was meel!

Benjamin maakte heel geconcentreerd nog meer aantekeningen in zijn schriftje.

DE MUMMIE IN DE SARCOFAAG

'In deze kamer wil ik niet meer slapen!' besloot ik. Ik pakte een deken en een kussen en installeerde mezelf in de wapenkamer.

Ik viel als een BLOK in slaap.

Na een tijdje heerlijk te hebben gesnurkt, hoorde ik opeens weer dat gekraak: *Krak!*

Krak...

Ik was net op tijd wakker om ook nog een ander geluid te horen, gedempt, alsof er iets over de grond sleepte.

Ik stak de kaars aan die vlak naast me stond.

'Benjamin, ben jij dat? Benjamin?' vroeg ik slaperig. Maar er kwam geen antwoord.

Ik hield de kandelaar omhoog om beter te kunnen zien.

Mijn ogen rolden bijna uit hun kassen.

'Maar dat... dat... is een MUMMIE!'

De mummie kwam stap voor stap dichterbij.

Achter de mummie zag ik een open sarcofaag staan.

'Help... help!' brulde ik uit volle borst.

Ik haat reizen! Zat ik maar lekker thuis in mijn luie stoel!

Thea kwam meteen binnenstormen, die had blijkbaar voor mijn deur op wacht gestaan.

'Wat is er nu weer aan de hand?' vroeg mijn zus achterdochtig.

Zelfverzekerd en triomfantelijk zei ik: 'Kijk daar maar eens... daar!'

Thea kneep haar ogen tot spleetjes en gilde: 'Waar? Wat moet ik zien?'

Ik draaide mij verbaasd om.

De mummie kwam stap voor stap dichterbij…

'De mummie! Daarachter,
vlak bij die harnassen…
zie je ze?'
Wat bleek? De mummie
en de sarcofaag waren
verdwenen. Opgelost in
het niets.
'**Dat kan niet… dat kan gewoon niet,**' stotterde ik verward.
Thea trok aan mijn oor.
'Geronimo! Wat is dit? Eerst een SPOOK, nu een MUMMIE. Wat voor spelletje speel je?'
Benjamin keek eens goed rond in de kamer en wees mij op een stukje wc-papier dat aan een hoek van de boekenkast was blijven haken.
Vervolgens maakte hij, diep over zijn schriftje gebogen, een aantal aantekeningen.

DE ECHTE KASTEELVROUWE

Ik raapte rattenrap mijn kussen en deken bij elkaar en maakte dat ik de kamer uit kwam.

Ik haat reizen! Zat ik maar lekker thuis in mijn luie stoel!

Ik hoorde ik Klem nog net grinniken: 'Mummie, hè? Wat zal Geronimo de volgende keer verzinnen? Hij heeft (te)veel fantasie!'

Mijn snorharen trilden van woede. Hoe haalde hij het in zijn hoofd mij een fantast te noemen? Ik lieg nooit! Iedereen die mij kent weet dat! Ik ben een echte *gentlemuis*...

Met de kandelaar stevig in mijn poot geklemd rende ik door de gang. Flarden fel licht van de kaars verlichtte links en rechts de muren.

Mijn snorharen trilden nu van pure angst...
Aan het eind van de gang ging ik een slaapkamer binnen. Overal waar ik keek, zag ik gele rozen. Deze kamer was veel groter dan alle andere slaapkamers in het kasteel. Het hemelbed was enorm, het brokaten bedgordijn was bedrukt met gele rozen. Het was een schitterend bed, het was jammer dat de gordijnen helemaal gescheurd waren. In de lucht hing een vage rozengeur.
Boven de haard hing een indrukwekkend schilde-

rij in een vergulde lijst: het was het portret van markiezin *Cornelia Kattebas,* die tevreden keek naar de om haar heen verzamelde kinderen, kleinkinderen en achterkleinkinderen.
Ik keek om me heen: het was meteen duidelijk dat dit de slaapkamer van de kasteelvrouwe moest zijn geweest. Op het ladekastje, waar de houtwormen al flink aan hadden geknabbeld, stond een marmeren buste. Op het tekstplaatje stond:

Markiezin Cornelia Kattebas

Op het nachtkastje stond ook een buste, van brons. Daarnaast stond een zilveren miniatuur van het kasteel. Daarop zat een plaatje met de tekst: **Hier ben ik de baas (ik, de markiezin).**

Aan de muren hingen ingelijste brieven van heel beroemde katten uit die tijd: groothertogen, prinsen, koningen, keizers.

Ze waren stuk voor stuk geadresseerd: Aan Hare Excellentie, Voortreffelijkste, Alom Gevreesde markiezin Cornelia Kattebas…

Overal stond waardevol antiek, zoals een gouden kooitje met een vogeltje. Op het plaatje stond: Voor onze mama, van je liefhebbende kinderen, kleinkinderen en achterkleinkinderen.

Ik zag ook een mooie massief gouden kroon, versierd met kleine katjes die grote, muisgrote, robijnen vasthielden.
Het was de kroon van de markiezin!
Tussen al die gewijde voorwerpen van de markiezin zag ik ook een klein, piepklein miniatuurtje van een heel klein tenger katje, dat heel verlegen keek.
Zijn naam was er zo klein ingegraveerd dat het zelfs van heel dichtbij in het licht van de kaars nog moeilijk te lezen was.
Hardop las ik:

MIJN GELIEFDE ECHTGENOOT
GRAAFMUIS KWAST KOKET
(1720-1760)

Nu begreep ik het, man van de markiezin was vroeg gestorven, daarom was zij de enig echte kasteelvrouwe en hoofd van de gi-ga-gantisch grote kattenfamilie…
Ik vond ook een stoffig kussentje met een patroon van allemaal kleine gele roosjes. In piepkleine steekjes stond erop geborduurd:

Mama deelt hier de lakens uit
Ze trekt zo je haren uit je snuit
Dus geen kattenkwaad en grollen
Doe je dat wel, oei… hollen!

HET SPIEGELBEELD VAN EEN HEKS

Ik zette de kandelaar op het nachtkastje
en kroop onder de dekens.
Ik kneep mijn ogen stijf dicht en
probeerde te slapen. Het lukte
niet, steeds maar weer moest ik
eraan denken: vanavond was het
HALLOWEEN!
Ik rilde.
Ik geloof niet in die bijgelovige
onzin, dacht ik.

Om mijzelf moed in te spreken zei ik het hardop:
'Ik geloof niet in die bijgelovige onzin...'
Opeens hoorde ik gekraak: *Krak!*

Krak!

Een stem miauwde: 'Goed zo, geloof maar niet in die bijgelovige onzin!

Ha ha ha... Ha ha ha... Ha ha ha... Ha ha ha...'

Er ging een rilling over mijn rug.

'Wie... wie is daar?' piepte ik.

Ik haat reizen! Zat ik maar lekker thuis in mijn luie stoel!

Er ging een lichtje aan in de donkerste hoek van de kamer, daar waar de boekenkast stond.

Ik zag een vrouwelijk silhouet, met een puntmuts. Ze droeg een lange zwarte cape, zwarte puntschoenen en KOUSEN MET RODE EN WITTE STREPEN.

Ze hield stevig een bezem vast. Was dat misschien een vliegende bezem?

De puntmuts had een brede rand, zodat ik haar gezicht niet goed kon zien, maar ik wist bijna zeker dat ze een kattensnuit had. Een kattensnuit met lange scherpe tanden en precies op het

'Wie... wie is daar?' piepte ik

puntje van haar snuit een wrat. Haar kattenvel was vast ruig en rood.
Ik zag de poot waarmee ze de bezem omklemde: ze had enorm lange, scherpe nagels!
Brrr! Het was een heks!
De spiegel vlakbij mij weerkaatste een heel duidelijk beeld van haar.
De heks lachte spottend en zong:
'Oog, boos oog, op en neer, laag en hoog...'
Ze sprak verder: 'Goed, goed, goed... wat hebben we hier, een dikke vette muis... zal ik daar muizenballetjes van maken, of een lekker sausje voor bij het vlees, of een muizenbouillon, met muizenmerg? Ik kan van zijn velletje een warme mof maken, van zijn nagels een armband en van zijn tanden een ketting. Van zijn oortjes maak ik dan poederdonsjes en van zijn snorharen een nagelborsteltje...

Ha ha ha... Ha ha ha... Ha ha ha... Ha ha ha...'

Ik kroop onder de lakens en gilde: 'Help!'
Dertig seconden later gooide Thea de deur met een zwaai open.
'En? Heb je een spook gezien?'
'Nee, ik heb een heks gezien!'
'Ook goed, maakt niet uit, een heks doet het ook goed als primeur. Waar is ze?'
Ik wees met een trillend pootje naar de donkere hoek met de boekenkast. Mijn zus, die voor niets en niemand bang is, rende ernaar toe, gewapend met haar fototoestel.

'Waar ben je? Kom tevoorschijn! Ik wil alleen maar een foto maken,' piepte ze opgewonden.

Heel voorzichtig stak ik mijn snuit, met nog steeds van angst trillende snorharen, onder de lakens uit, om dit hele tafereel te bekijken. Thea keek overal, maar zag van de heks geen enkel spoor.

IK GELOOF JE, OOM GERONIMO!

Mijn zus kwam met een boosaardige blik in haar ogen naar het bed toe gelopen.
'Geronimo! Vertel, hoeveel kaas heb je gegeten vanavond?'
Ik stotterde: 'Een klein stukje, een heel klein stukje, echt, ik zweer het!'
Klem kwam binnengestormd en spotte:
'Hoezo klein stukje, volgens mij heb je schimmelkaas gegeten (en die ligt erg zwaar op de maag), toen kreeg je buikpijn en heb je naar gedroomd, wie weet waarover allemaal:

spoken, mummies, heksen en ga zo maar door. Geronimo is een geleerde muis met (te)veel fantasie!'

'Ik heb die schimmelkaas niet eens aangeraakt!' protesteerde ik.

Zeker van zijn zaak sprak Klem: 'Zie je wel, nog erger, je bent met een lege maag gaan slapen. Van de honger heb je toen liggen draaien en woelen, en ben je van alles gaan fantaseren, want je hebt immers (te)veel fantasie, en dan krijg je dat...'

Benjamin keek naar de vloer, het tapijt en de kast in de donkere hoek. Hij kwam vlak naast me staan en fluisterde: 'Oom, weet je zeker dat je de heks in de spiegel zag?'

in de spiegel

Ik gilde vertwijfeld: 'Ja, natuurlijk weet ik dat zeker! Heel zeker! Jij gelooft me toch wel?'
Benjamin gaf mij een kusje op mijn snuit:
'Natuurlijk geloof ik je, oom! Ik geloof je altijd!
Ik weet toch dat je nooit liegt!'

Ik geloof je...

Ik gaf hem een dikke knuffel.
'Sorry, kaasbolletje, neefje van me... ik snap niet wat er allemaal gebeurt. Maar ik kan je wel verzekeren dat ik niets heb gefantaseerd!'
Benjamin mompelde: 'Ik geloof je, oom Geronimo, ik geloof je!'
En opnieuw maakte hij met een serieuze snuit aantekeningen in zijn schriftje.

Benjamin gaf mij een kusje op mijn snuit

KLEIN MAAR ONDEUGEND!

Eindelijk waren ze allemaal de kamer uit.
Ik bleef alleen achter en dacht na.
Zachtjes mompelde ik voor me uit: 'Ik moet kalm blijven, er is niets om me zorgen over te maken, alles is in orde, alles is onder controle!'

Ik haat reizen! Zat ik maar lekker thuis in mijn luie stoel!

Op dat moment vloog er een grijze uil door het kapotte raam naar binnen en ging op de rand van de open haard zitten.
De uil opende zijn snavel en kraste:

'Hé, jij daar, kaaskop!'

Mijn snuit viel open van verbazing.

Toen begon de uil te zingen:

De heks is mijn bazin,
ze krijgt altijd haar zin.
Zij heeft me betoverd
en afgericht,
nu heb ik aan haar
een plicht.
Ik kan praten, ik
kan zingen,
verzin toverformules en andere dingen.
Ik ben dé uil van het kasteel.
Ik behoor tot het geheel.
Een van mijn belangrijkste taken,
is jou vreselijk bang te maken
Oehoe! Oehoe! Oehoe!

Daarna verdween hij even snel als hij gekomen was, in een wolk van veren.

Terwijl hij wegvloog hoorde ik een vreemd mechanisch geluid: KLIK KLAK KLIK KLAK KLIK KLAK...

Ik had om hulp willen roepen, ik had zelfs mijn snuit al open, maar ik klapte hem weer dicht.

Ik wilde niet nog eens horen dat ik alles zelf verzonnen had.

Dus wachtte ik tot de uil uit het zicht verdwenen was en kroop voorzichtig tussen de lakens vandaan.

Ik verliet de slaapkamer op zoek naar Benjamin, de enige die me geloofde.

Lieve Benjamin!

Ja, hij houdt heel veel van me!

HET MYSTERIE VAN DE KIPPENVEER

Ik vertelde het hele verhaal aan Benjamin. Hij luisterde geduldig, zonder me te onderbreken. Toen ik klaar was, gaf hij me een dikke knuffel: 'Ik geloof je, oom!'
Hij ging mee en onderzocht nauwkeurig het raam en de open haard.
Op het tapijt vlak bij de open haard vond hij een veertje en raapte het op. Hij keek er naar met een vergrootglas en mompelde: 'Mmm, een witte veer... een kippenveer waarschijnlijk... maar grijs geverfd... interessant...'
Hij vroeg: 'Oom, je zei toch dat je een vreemd geluid hoorde toen hij wegvloog?

Klik-klak klik-klak klik-klak?'

Hij liep terug naar de open haard en keek naar de vele spinnenwebben. Hij mompelde: 'Zo veel *spinnenwebben* maar nergens een spin te bekennen… Mmm…'
Hij pakte zijn schriftje en maakte aantekeningen.

EEN SCHARLAKENRODE ZIJDEN MANTEL

Het was alweer ochtend, maar ik was nog zó moe, ik had immers geen oog dichtgedaan. Dus besloot ik nog een dutje te doen, maar niet hier in deze kamer... brrr!

Brrrrrrr!

Ik liep een trap op die naar de hoogste toren voerde.

Toen ik een deur opendeed, bevond ik mij in een zaal met RODE muren.

ROOD waren ook de fluwelen gordijnen voor de ramen en de sprei op het grote antieke hemelbed...

Volledig uitgeput kroop ik in het bed, en ik sliep nog voor mijn snuit het kussen raakte.

Een paar minuten later werd ik wakker van een vreemd zoemend geluid.

Ik opende mijn ogen en zag schimmen bewegen op het plafond…

Het waren de schaduwen van vleermuizen!

Ik haat reizen! Zat ik maar lekker thuis in mijn luie stoel!

Opeens zag ik een schaduw, veel groter dan de andere, die dichterbij kwam.

Het zoemen werd sterker…

De schaduw spreidde zijn vleugels en ik zag een figuur gekleed in een SCHARLAKENRODE zijden mantel.
Het was een vampierkat! Hij grijnsde, en met die grijns ontblootte hij enorm *puntige* hoektanden!
Ik gilde: 'EEN VAMPIER!'
Opeens was hij verdwenen. De deur zwaaide open en Benjamin kwam binnen.
'Oom, oom Geronimo! Wat is er gebeurd?'

'Ik hoorde een vreemd zoemend geluid, en toen zag ik vleermuisschaduwen op het plafond! En toen zag ik een vampier...'
Benjamin stond perplex.

'Mmm, een zoemend geluid? Schaduwen op het plafond?'

Hij keek naar buiten door het raam en mompelde: 'Een vampier? Ondanks dat de zon al op is, het is al acht uur.'

Hij bukte zich en trok aan een kabel die over de vloer liep.

'Kijk hier, een elektriciteitskabel en een stopcontact.'

Hij dook met zijn snuit in zijn schriftje om aantekeningen te maken..

een elektriciteitskabel
en een stopcontact...

BESTE KNAAG-DIERVRIENDEN...

Ik had nog steeds slaap, maar langzaam drong tot me door dat ik in dit **kasteel** geen OOG dicht zou doen!

Dus liet ik me met een heel diepe zucht uit het bed glijden en liep achter Benjamin aan de trap af.

Op een van de traptreden zag ik een kassabonnetje liggen. Ik raapte het op en bestudeerde het bonnetje, samen met Benjamin. Sommige LETTERS ontbraken; dit is wat we konden lezen:

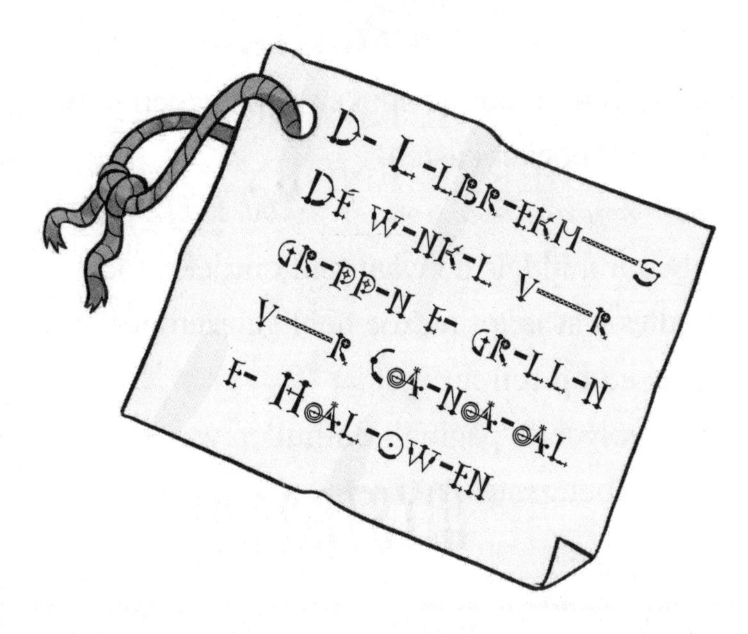

Benjamin keek me aan en zei: ‘Oom, denk jij wat ik denk?’

Ik mompelde: ‘Ja, neefje! Ook ik heb zo’n **donkerbruin** vermoeden…’

Benjamin pakte het schriftje waarin hij alles had opgeschreven en zei: ‘Laten we bij het begin beginnen. Laten we allereerst eens kijken naar

de plattegrond van het **Muisterslot**. Dan valt meteen op dat de spoken verschenen in de buurt van boekenkasten.'

Beste knaagdiervrienden, **beste lezers**, jullie hebben inmiddels de waarheid ontdekt, toch? Zet alles wat je tot nu toe hebt gelezen nog maar eens goed op een rijtje rijtje.

Op de volgende pagina's onthullen we de oplossing van het grote **MYSTERIE!**

Plattegrond van het Muisterslot

1. *Beelden van klauwende katten*
2. *Hal*
3. *Balzaal*
4. *Terras*
5. *Toren*
6. *Tuin*
7. *Groentetuin*
8. *Serre*
9. *Trap*
10. *Keuken*
11. *Toren*
12. *Bibliotheek*
13. *Trap naar bovenverdieping*
14. *Wapenkamer*
15. *Kamer van Roderik Kattebas*
16. *Werkplaats Roderik, voor zijn magische experimenten*
17. *Kamer van de markiezin Cornelia Kattebas*
18. *Kamer van Black Jack Kattebas*
19. *Kamer van Angelique Kattebas*

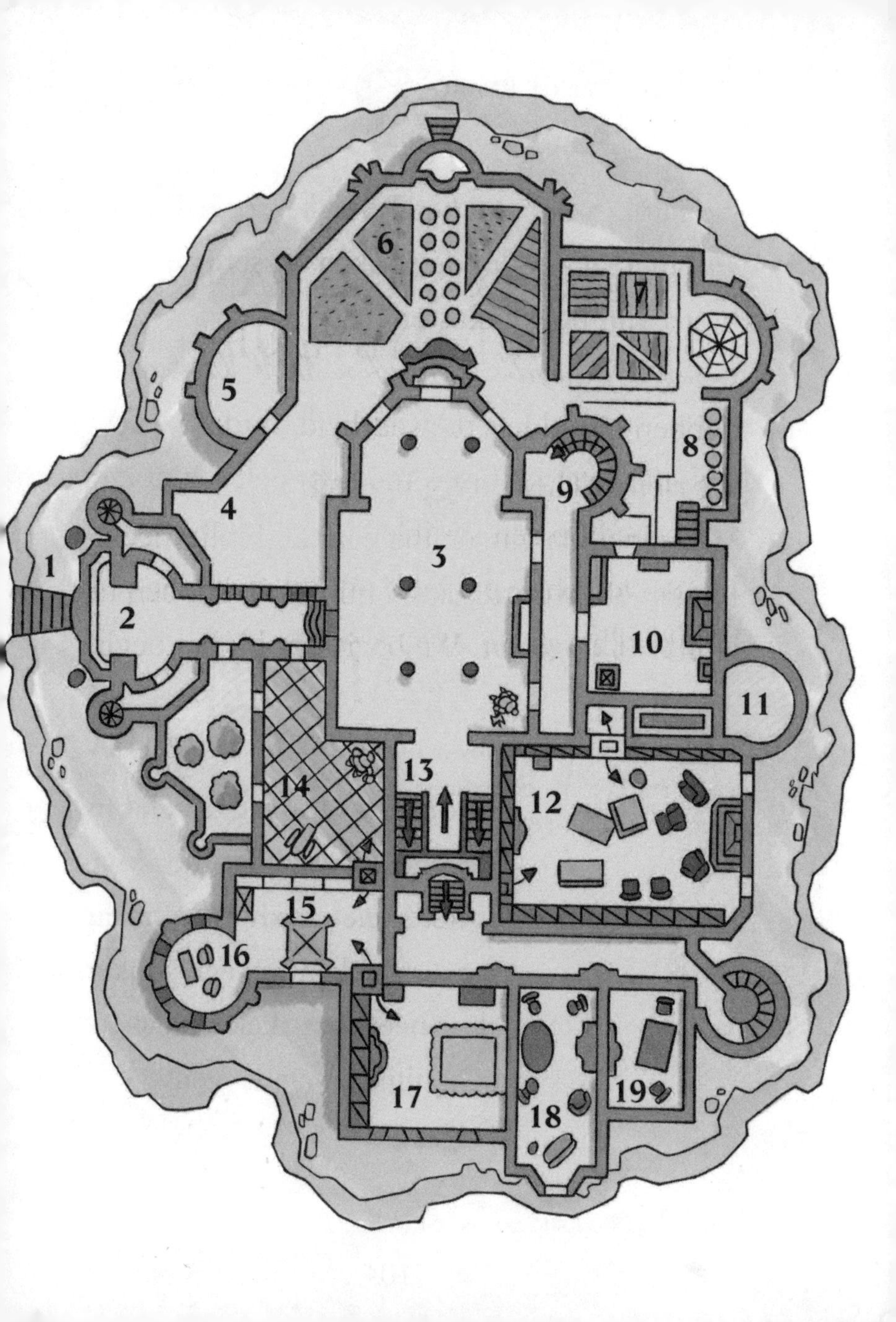
1
2
3
4
5
6
7
8
9
10
11
12
13
14
15
16
17
18
19

OPLOSSING VAN HET MYSTERIE

We riepen Thea en Klem erbij.
Met zijn allen gingen we naar de bibliotheek.
Ik nam het woord: 'Benjamin en ik hebben het MYSTERIE opgelost. We beginnen bij het begin:

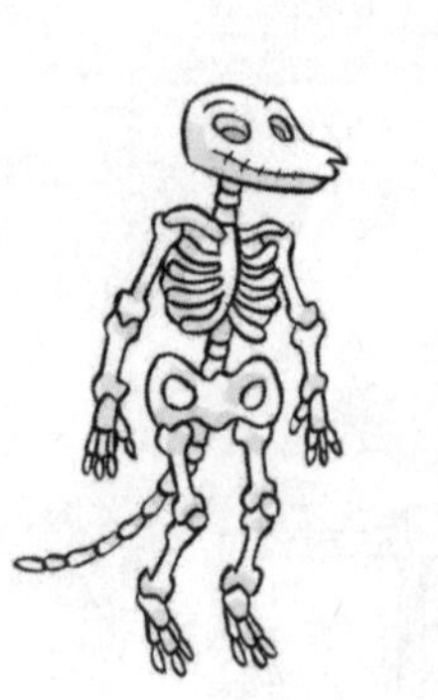

1

Ik ontdek een rattenskelet in de keukenkast. Als Thea komt, is het skelet verdwenen, maar we ontdekken wel een spijker... daar heeft het skelet waarschijnlijk aan gehangen!

2

Het spook verschijnt voor het eerst in de bibliotheek, van achter de boekenkast. Als het spook verschijnt en verdwijnt, is er gekraak te horen: krak... alsof er een deur of luik geopend wordt!

Toen ik de trap op liep, zag ik de ogen van Roderik bewegen. Er blijken in het schilderij twee gaten te zitten op de plaats van de ogen: iemand hield mij in de gaten!

3

4

Het spook verschijnt opnieuw in de werkplaats van Roderik: het verschijnt alleen in de buurt van boekenkasten. Dat komt omdat achter die kasten geheime gangen zitten en het spook zo kan komen en gaan zodat het op toverij lijkt.

5

Het spook verschijnt opnieuw, nu in de bibliotheek. Benjamin ziet sporen op de vloer, de ketting heeft bij het slepen over de vloer krassen achtergelaten... maar een echt spook laat geen sporen na!

6

Het spook is er weer en dit keer zien we een meelspoor op de vloer!

7

In de wapenkamer verschijnt een mummie. Benjamin vindt er een stukje wc-papier, dat zit vastgeklemd tussen de muur en de achterwand van de boekenkast. Wie heeft zich in wc-papier gewikkeld om op een mummie te lijken?

8

In de kamer van Cornelia verschijnt de heks. Maar... echte heksen hebben geen spiegelbeeld!

Er komt een betoverde uil binnenvliegen...

9

maar hoe komt het dat je klik-klak hoort als hij zijn vleugels beweegt? En hoe kan het dat we een grijs geverfde kippenveer vinden? Omdat het een meganische uil was!

Aan het plafond zie ik vleermuisschaduwen,

10

en er verschijnt een vampier... maar waar komt dat ronkende geluid vandaan? Het zijn geprojecteerde schaduwen! Waar komt ook de elektriciteitskabel vandaan die we op de vloer vonden. En verder, waarom verdwijnt de vampier niet na zonsopkomst, zoals een echte zou doen? En nog iets: overal in het kasteel kom je spinnenwebben tegen, maar nergens een echte spin... de spinnenwebben zijn nep!

11

We vinden op de trap een kassabonnetje.
Vul de ontbrekende letters in:

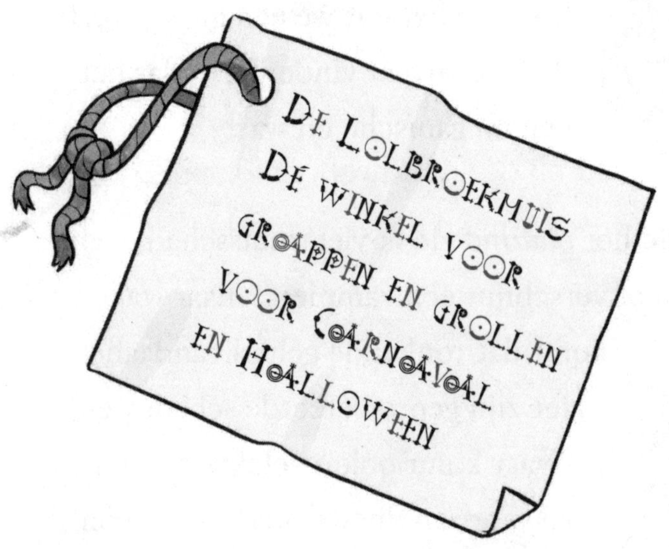

Heb je het door? Iemand heeft nepartikelen gekocht om ons te laten geloven dat het spookt in het kasteel.
Nu moeten we alleen nog uitvinden wie en waarom!

BIJ DE SNUIT GENOMEN

Klem brulde: 'Wat? Wil je beweren dat iemand ons al die tijd bij de snuit heeft genomen? Wat een tweederangs knager, een echte **rioolkruiper**, een echte rat. Als ik hem te pakken krijg, bijt ik hem in zijn oor, trap ik hem op zijn staart en trek ik al zijn snorharen eruit!'

Thea mompelde: 'Het zal niet makkelijk zijn om die slimmuis te pakken te krijgen… hij verdwijnt telkens als sneeuw voor de zon!'

Op dat moment hoorden we een geluid achter de boekenkast met geschiedenisboeken.

'Dit keer ontsnapt hij niet!' riep ik en met een sprong dook ik achter de kast.

Ik slaakte een kreet, dit keer niet van schrik maar van verbazing.
Achter de kast zat inderdaad iemand verborgen, maar het was geen muis, het was een… **kat!**
Eigenlijk een klein katje, bijna net zo groot als Benjamin.
Klem pakte hem bij zijn staart en bromde: ‘Oké, wat voor een SPELLETJE wordt hier gespeeld?’
Het katje miauwde angstig: ‘Eh, ik eh…’

VERSCHIJNEN EN VERDWIJNEN

Het katje murmelde: 'Het spijt me dat ik jullie heb laten schrikken. Maar ik moest het doen! Ik laat al heel lang iedereen geloven dat het kasteel behekst is, zodat niemand dichterbij durft te komen.'

'Wat? Waarom?' vroeg Thea.

Het katje ging verder: 'Ik heet Bas Kattebas. Mijn zus en ik zijn de enige nog levende afstammelingen van het geslacht *Kattebas*. Sinds de dag dat we met zijn TWEETJES achterbleven, proberen we het hier samen te redden. Maar het **kasteel** is groot en moet nodig opgeknapt worden. Het dak moet opnieuw bedekt worden, de ramen gerepareerd... maar daar hebben we geen geld voor! Er waren genoeg kopers voor het **kasteel,** sommigen hebben zelfs geprobeerd ons weg te pesten. Wij zijn immers maar twee kleine katjes. Maar we willen het familiekasteel niet verkopen! Toen kwamen we op het idee om iedereen bang te maken, zodat ze weg zouden blijven.'

Ik schraapte mijn keel: 'Laat ik me eerst eens voorstellen, mijn naam is Stilton, *Geronimo Stilton!'*

Ik legde een poot op de schouder van het katje: 'Bas, je hebt me echt bang gemaakt, maar nu begrijp ik waarom. Je bent klein en hebt hulp nodig! Ik zal je helpen, geloof me!'

Thea stelde voor: 'Waarom maken we van het kasteel geen **griezelmuseum?** Dan kan iedereen het kasteel bezichtigen, de balzaal, de

wapenkamer, maar ze
zullen ook spoken, heksen,
mummies en VAMPIERS
tegenkomen!'
Het katje was enthousiast.
'Wat een goed idee! Dat zou
fantastisch zijn!'
Hij draaide zich om naar mij.
'Maar... ga jij me daar dan bij helpen?'
vroeg hij verlegen.
Ik aaide hem over zijn
BOLLETJE.
'Natuurlijk, helpen we jullie.
Waar is je zusje eigenlijk?'
Hij pakte een boek van een
plank en opeens draaide de
boekenkast om zijn as, er-
achter lag een geheime gang.

'Snappen jullie nu hoe ik in een paar tellen kon verschijnen en verdwijnen? Dankzij de **geheime** doorgangen achter de boekenkasten!' legde hij ons uit.
In de geheime doorgang verscheen een poesje met een honingkleurige vacht. Ze leek erg veel op Bas.
'Hallo, ik ben Sas Kattebas,' stelde zij zich netjes voor.
'Wil je mij het **kasteel** laten zien?' vroeg Benjamin haar.
'Natuurlijk!' antwoordde zij. 'Wat leuk om vrienden te hebben! We zijn altijd maar alleen in dit kasteel, Bas en ik.'
Ik piepte: 'Wij zullen jullie helpen bij het oplossen van de problemen!'
Vriendelijk lachte ik naar Bas en zei: 'Maak je geen zorgen, jij bent een kat en ik een muis...

maar wie zegt dat katten en muizen geen vrienden kunnen zijn?'

Ik zag Benjamin en Sas hand in hand de keuken in verdwijnen om iets lekkers klaar te maken.

Ze kwebbelden opgewekt.

Ja, wie heeft beweerd dat kat en muis geen vrienden kunnen zijn? Zo zie je maar, het kan wel!

HALLOWEEN EEN JAAR LATER!

Het is precies een jaar later en er is in die tijd veel gebeurd.

Het **Muisterslot** is helemaal gerestaureerd: elke dag staat er een lange rij muizen voor de deur. Ze willen allemaal het slot bezichtigen, de grote salon met fresco's, de wapenkamer en natuurlijk de galerij met voorouders...

Maar bovenal willen zij het spektakel meemaken, de spookeffecten die Bas organiseert: het spook van *Roderik Kattebas*, **de mummie, de heks,** DE VAMPIER!

Bas en Sas zijn heel gelukkig.

Ze zijn intussen beste vriendjes met Benjamin!
Maar goed, ik zei dus dat het vandaag
31 oktober is, HALLOWEEN.
Ik ga met de hele familie naar het **Muìsterslot**
om ons op deze **magische** avond te laten
verrassen.
Net zei Benjamin nog tegen me: 'Oom, wat
zullen we een plezier hebben! Bas heeft een
heleboel nieuwe trucjes bedacht: lichtgevende
skeletten, spoken zonder hoofd, geen weerwolven maar weerkatten...'
Ik glimlachte en deed alsof ik het leuk vond,
maar als ik heel eerlijk ben: ik vind het toch
een beetje eng!
Ik ben geen lefmuis...
Ik haat reizen! Zat ik maar lekker thuis in mijn luie stoel!

INHOUD

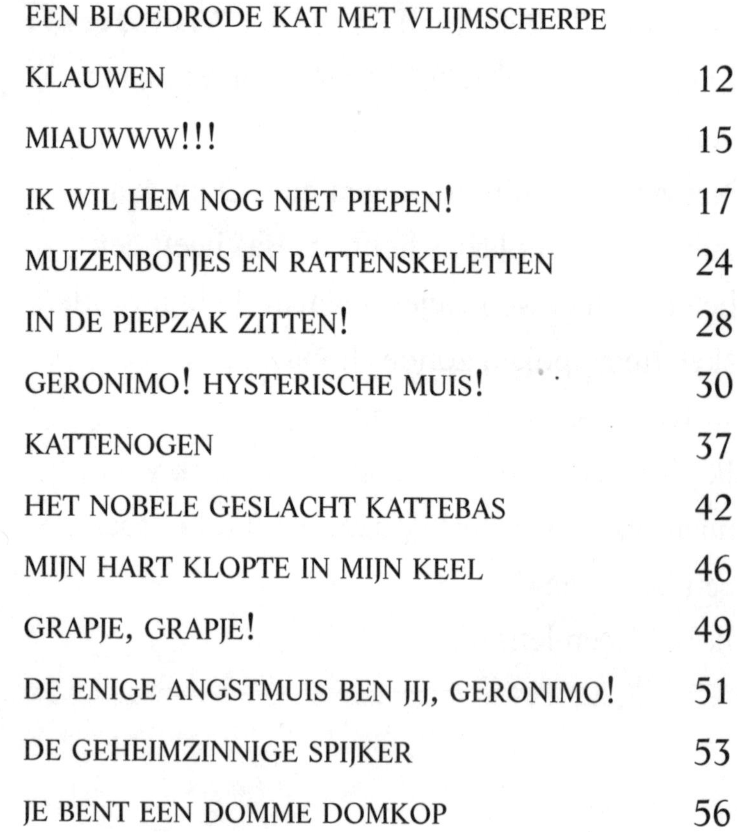

Boeken waar een luchtje aan zit...

FANTASIA

tekst: Geronimo Stilton
illustraties: Larry Keys
formaat: 14,5 x 18,5 cm
omvang: 392 pagina's
druk: volledig in kleur
met 8 'kras en ruik'-pagina's
bindwijze: gebonden
prijs: € 19,95
ISBN 90 5893 008 4
voor 8 jaar en ouder

Dromen jullie nooit over reizen in het fantastische FANTASIA? Over heksen, zeemeerminnen, aardmannetjes en feeën ontmoeten en eenhoorns, trollen en weerwolven... Of een ritje maken op de rug van een regenboogdraak? Zullen we samen naar FANTASIA gaan?
Ga maar zitten en hou je goed vast! We vertrekken!

Een spectaculair, megadik deel in de Geronimo Stilton-reeks. Volledig in kleur en met acht 'kras en ruik' verrassingen, variërend van rozengeur tot zweetvoeten. Elke Geronimo liefhebber moet dit boek in huis hebben.

FANTASIA II
DE SPEURTOCHT
NAAR HET GELUK

tekst: Geronimo Stilton
illustraties: Larry Keys
formaat: 14,5 x 18,5 cm
omvang: 392 pagina's
druk: volledig in kleur
met 'kras- en ruik'-pagina
bindwijze: gebonden
prijs: € 19,95
ISBN 90 8592 016 7 Nederland
ISBN 90 5461 393 9 België
voor 8 jaar en ouder

Florina de Fleur, de feeënkoningin, roept opnieuw mijn hulp in voor het uitvoeren van een bijzondere opdracht.
Ik moet van haar op zoek gaan naar het Hart van Geluk, samen met de FANTASIA CLUB.
We beleven ijzingwekkende avonturen. Bij de orken weet ik maar net op tijd het vege lijf te redden en de gemene heks Strega kruist ook dit keer mijn pad. We beklimmen de Stracciatellaberg in Luilekkerland en bezoeken er de schatkamer van koningin Koot Doortje (oh, wat ruikt die lekker naar CHOCOLADE!). We reizen door Glitterland en ik speel een spannend partijtje schaak met koning Pretletter van Het Speelgoedparadijs. Onderweg vind ik overal kristallen sleutels, waarvan ik niet begrijp waar ze voor zijn. *Raar!*
Achterin FANTASIA II vind je allerlei spelletjes en heerlijke recepten. Kortom, je mag dit boek niet missen!

Andere delen in deze serie:

Titel:

1. **Mijn naam is Stilton, Geronimo Stilton!**
2. **Een noodkreet uit Transmuizanië**
3. **De piraten van de Zilveren Kattenklauw**
4. **Het geheimzinnige geschrift van Nostradamuis**
5. **Het mysterie van de gezonken schat**
6. **Het raadsel van de Kaaspiramide**
7. **Bungelend aan een staartje**
8. **De familie Duistermuis**
9. **Echte muizenliefde is als kaas**
10. **Eén plus één is één teveel**
11. **De glimlach van Lisa**
12. **Knagers in het Donkere Woud**
13. **Kaas op wielen**
14. **Vlinders in je buik**
15. **Het is Kerstmis, Geronimo!**
16. **Het oog van smaragd**
17. **Het spook van de metro**
18. **De voetbalkampioen**
19. **Het kasteel van markies Kattebas**

Ook verschenen:

Fantasia

Fantasia II - De speurtocht naar het geluk

Het boekje over vrede

De Wakkere Muis

1. Ingang
2. Drukkerij (daar worden de boeken en de kranten gedrukt)
3. Administratie
4. Redactie (hier werken de redacteuren, de grafici en de illustratoren)
5. Kantoor van Geronimo Stilton
6. Landingsplaats voor de helikopter

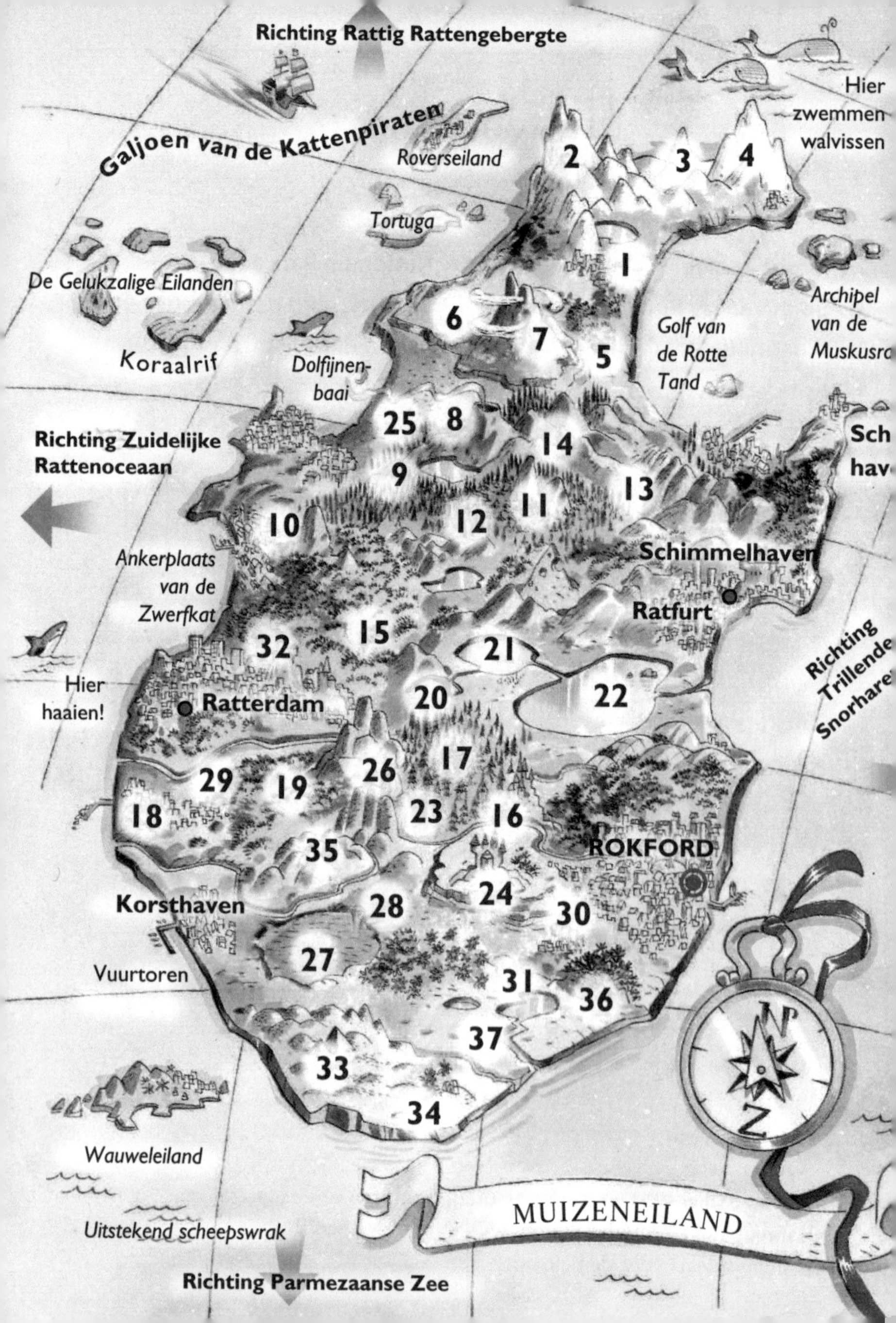

Richting Rattig Rattengebergte
Galjoen van de Kattenpiraten
Roverseiland
Tortuga
De Gelukzalige Eilanden
Koraalrif
Dolfijnen-
baai
Hier
zwemmen
walvissen
Archipel
van de
Muskusra
Golf van
de Rotte
Tand
Richting Zuidelijke
Rattenoceaan
Sch
hav
Schimmelhaven
Ratfurt
Ankerplaats
van de
Zwerfkat
Hier
haaien!
Ratterdam
Richting
Trillende
Snorhare
ROKFORD
Korsthaven
Vuurtoren
Wauweleiland
Uitstekend scheepswrak
Richting Parmezaanse Zee
MUIZENEILAND
1 2 3 4 5 6 7 8 9 10 11 12 13 14 15 16 17 18 19 20 21 22 23 24 25 26 27 28 29 30 31 32 33 34 35 36 37

Muizeneiland

1. Groot IJsmeer
2. Spits van de Bevroren Pels
3. Ikgeefjedegletsjerberg
4. Kouderkannietberg
5. Ratzikistan
6. Transmuizanië
7. Vampierberg
8. Muizifersvulkaan
9. Zwavelmeer
10. De Slome Katerpas
11. Stinkende Berg
12. Duisterwoud
13. Vallei der IJdele Vampiers
14. Bibberberg
15. De Schaduwpas
16. Vrekkenrots
17. Nationaal Park ter Bescherming der Natuur
18. Palma di Muisorca
19. Fossielenwoud
20. Meerdermeer
21. Mindermeer
22. Meerdermindermeer
23. Boterberg
24. Muisterslot
25. Vallei der Reuzensequoia's
26. Woelwatertje
27. Zwavelmoeras
28. Geiser
29. Rattenvallei
30. Rodentenvallei
31. Wespenpoel
32. Piepende Rots
33. Muisahara
34. Oase van de Spuwende Kameel
35. Hoogste punt
36. Donkere Woud
37. Muggenrivier

1
2
3
4
5
6
7
8
9
10
11
12
13
14
15
16
17
18
19
20
21
22
23
24
25
26
27
28
29
30
31
32
33
34
35
36
37
38
39
40
41
42
43
De Mu
St

Rokford, de hoofdstad van Muizeneiland

1. Industriegebied
2. Kaasfabriek
3. Vliegveld
4. Mediapark
5. Kaasmarkt
6. Vismarkt
7. Stadhuis
8. Kasteel van de Snobbertjes
9. De zeven heuvels
10. Station
11. Winkelcentrum
12. Bioscoop
13. Sportzaal
14. Concertgebouw
15. Plein van de Zingende Steen
16. Theater
17. Grand Hotel
18. Ziekenhuis
19. Botanische tuin
20. Bazar van de Manke Vlo
21. Parkeerterrein
22. Museum Moderne Kunst
23. Universiteitsbibiotheek
24. De Rioolrat
25. De Wakkere Muis
26. Woning van Klem
27. Modecentrum
28. Restaurant De Gouden Kaas
29. Centrum voor zee- en milieubescherming
30. Havenmeester
31. Stadion
32. Golfbaan
33. Zwembad
34. Tennisbaan
35. Pretpark
36. Woning van Geronimo
37. Antiquairswijk
38. Boekhandel
39. Havenloods
40. Woning van Thea
41. Haven
42. Vuurtoren
43. Vrijheidsmuis

Lieve knaagdiervrienden,
tot ziens, in een volgend avontuur.
Een nieuw avontuur met snorharen,
erewoord van Stilton.

Geronimo Stilton